Richard Bach

.

Jonathan Livingston
Seagull

Ричард Бах

·

Чайка
Джонатан Ливингстон

«СОФИЯ» 2017

УДК 821.111(73)
ББК 84(7США)
    Б30

Бах Ричард

Б30   Чайка Джонатан Ливингстон / Перев. с англ. —
М.: ООО Книжное издательство «София», 2017. — 128 с.

ISBN 978-5-906686-62-6

Это история для тех, кто следует зову своего сердца и
устанавливает свои собственные правила… Для тех, кто
знает, что в жизни есть нечто большее, чем видят наши
глаза.

Вы вновь обретете вдохновение, взлетая вместе с Джонатаном выше и быстрее, чем в самых смелых своих
мечтах…

художник
Владислав Ерко

Присоединяйтесь к единомышленникам на сайте:
JonathanLivingstonSeagull.com

Originally published by Scribner, a division of Simon & Schuster Inc.

ISBN 978-5-906686-62-6   © ООО Книжное издательство «София», 2015

*Истинному Джонатану — Чайке,
живущей в каждом из нас...*

Часть
первая

ыло утро, и новое солнце золотом разлилось по испещренной рябью поверхности моря. Рыбацкая лодка в миле от берега. И зов над водой — это сигнал к завтраку. Большой сбор. Снова и снова раздавался он в воздухе, пока наконец тысячи чаек не слетелись в толпу. И каждая из птиц хитростью и силой пыталась урвать кусок пожирнее. Наступил еще один день — полный забот и суеты.

Но Чайки по имени Джонатан Ливингстон не было в толпе. Он тренировался — вдали от остальных, один, высоко над лодкой и берегом. Поднявшись на сто футов в небо, он опустил перепончатые лапки, поднял клюв и напряженно выгнул крылья, придав им форму жесткой, болезненно изогнутой кривой. Такая форма крыльев должна была, по его мнению, до предела замедлить полет. И Джонатан скользил все медленнее и медленнее. Свист ветра в ушах сменился едва слышным шепотом, и океан застыл внизу неподвижно. Прищурившись в чудовищном сосредоточении, Джонатан задержал дыхание. Еще... на один... единственный... дюйм... круче... эту... кривую... Перья его дрогнули, спутались, он окончательно потерял скорость, опрокинулся и рухнул вниз.

Вам, должно быть, известно — с чайками такое не случается никогда. Чайка не может остановиться в полете, потерять скорость. Это позор, это бесчестье.

Однако Чайка Джонатан Ливингстон не ощущал стыда. Он снова вытянул крылья в жесткую дрожащую кривую — медленнее, медленнее и — опять неудача. И снова, и снова. Ведь он не был обычной птицей.

Большинство чаек не утруждают себя изучением чего-то большего, чем элементарные основы полета. Отлететь от берега на кормежку и вернуться — этого вполне достаточно. Ведь для большинства имеет значение не полет, но только лишь еда. Но для Чайки по имени Джонатан Ливингстон важен был полет. А еда — это так... Потому что больше всего на свете Джонатан любил летать.

Такой подход к жизни, как обнаружил Джонатан, отнюдь не прибавляет популярности в Стае. Даже родители его были обескуражены тем, что он проводит день за днем в одиночестве, экспериментируя и сотни раз повторяя низкие планирующие спуски.

Он, например, не знал почему, но, когда высота полета составляла менее половины размаха его крыльев, он мог держаться в воздухе над водой гораздо дольше и с меньшими усилиями. Джонатан никогда не заканчивал планирующий спуск обычным образом — с размаху плюхаясь брюхом на воду, предварительно растопырив лапы.

Вместо этого он выполнял длинное плоское скольжение, едва касаясь поверхности воды вытянутыми вдоль тела лапами. Когда он начал практиковать скольжение с приземлением на песчаном берегу, каждый раз с прижатыми лапками все дальше и дальше въезжая на песок, его родители перепугались не на шутку.

— Но почему, Джон, почему? — спрашивала мать. — Почему тебе так трудно быть таким, как все? Низко летают пеликаны. И альбатросы. Вот пусть они и планируют себе над водой! Но ты же — чайка! И почему ты совсем не ешь? Взгляни на себя, сынок, — кости да перья!

— Ну и пусть кости да перья. Но я совсем неплохо себя чувствую, мама. Просто мне интересно: что я могу в воздухе, а чего — не могу. Я просто хочу знать.

— Послушай-ка, Джонатан, — вовсе не сердитым тоном говорил ему отец. — Скоро зима, и судов на море поубавится. А рыба, которая обычно живет у поверхности, уйдет вглубь. Так что, уж если тебе настолько необходимо что-нибудь изучать, изучай способы добычи пропитания. А твои летные эксперименты — оно, конечно, замечательно, однако, сам понимаешь, планирующим спуском сыт не будешь. Ты летаешь для того, чтобы есть. И не стоит об этом забывать.

Джонатан послушно кивал. И в течение нескольких дней пытался сделать так, чтобы поведение его не отличалось от поведения всех остальных чаек. Причем пытался честно, по-настоящему принимая участие в гаме и возне, которые устраивала Стая в борьбе за рыбьи потроха и корки хлеба вокруг рыбацких судов и причалов. Но выработать в себе серьезное ко всему этому отношение Джонатану так и не удалось.

— Нелепость какая-то, — размышлял он, намеренно роняя завоеванную в тяжелой борьбе добычу.

Старая голодная чайка, которая гналась за Джонатаном, подхватывала брошенный кусок.

Джонатан подумал:

— Все это время я мог бы потратить на изучение полета. Ведь еще столько всего предстоит узнать!

И потому вскоре Чайка Джонатан снова оказался в море — он учился в одиночестве, голодный и счастливый.

На этот раз объектом исследования была скорость, и за неделю практики Джонатан узнал о скорости полета больше, чем самая быстрая чайка постигает за всю жизнь.

Отчаянно работая крыльями, он забрался на высоту в тысячу футов и оттуда бросился в крутое пике, несясь вниз навстречу волнам. И тут же понял, почему чайки никогда не пикируют, работая крыльями. Всего за каких-то шесть секунд он набрал скорость в семьдесят миль в час — предел, при котором крыло в момент взмаха теряет устойчивость в набегающем потоке.

Он пытался снова и снова. Он работал на пределе своих возможностей. Он был внимателен и осторожен. Но снова и снова терял управление на высокой скорости.

Подъем на тысячу футов. Горизонтальный разгон в полную силу, затем — работая крыльями — вниз — вертикальное пике. А потом — и это происходило каждый раз — левое крыло не выдерживало. Набегающий поток срывался. Джонатана резко бросало влево, поток срывался и с правого, более устойчивого крыла, и, трепеща подобно пламени на ветру,

Джонатан проваливался в немыслимый правосторонний штопор.

Ему явно не хватало точности в обращении со встречным потоком воздуха. Десять раз он пробовал, и все десять раз, едва миновав границу скорости в семьдесят миль в час, терял управление и комком спутанных перьев обрушивался в воду.

В конце концов, когда Джонатан уже промок до последнего перышка, ему в голову пришла мысль: ключ, должно быть, в том, чтобы вовремя прекратить работать крыльями — разогнаться до пятидесяти миль и зафиксировать крылья неподвижно.

Джонатан попробовал еще раз, поднявшись теперь уже на высоту в две тысячи футов. Он разогнался и ринулся прямо вниз, замерев с расправленными крыльями, едва лишь была пройдена пятидесятимильная отметка скорости. Это потребовало от него неимоверных усилий, но прием сработал. Через десять секунд после выхода в пике Джонатан преодолел девяностомильную отметку. Мировой рекорд для чаек!

Но радость победы, как и сама победа, оказалась недолгой. Стоило Джонатану попытаться изменить угол атаки крыла для выхода из пике, как его немедленно швырнуло во все тот же катастрофически неконтролируемый штопор. А на скорости в девяносто миль в час это было похоже на взрыв динамитного заряда. Джонатан рухнул вниз, и поверхность океана твердостью была подобна кирпичной мостовой.

Когда сознание вернулось к Джонатану, было уже совсем темно и он плавал на поверхности моря, мерцавшей в лунном свете. Измочаленные крылья были словно налиты свинцом. Но еще сильнее давила на него тяжесть жестокого поражения. Джонатан питал слабую надежду на то, что навалившийся на его плечи груз окажется достаточным и ненавязчиво увлечет его вниз, ко дну. И со всем этим наконец будет покончено.

Джонатан погрузился глубже в воду, и вдруг где-то внутри него зазвучали глухие раскаты странного голоса:

«Ерунда все это. Я — чайка. Ограниченность — мой удел. Если бы моим предназначением была скорость и столь глубокое постижение искусства полета, тело мое от рождения обладало бы соответствующими особыми свойствами, и тогда ум естественным образом работал бы в нужном направлении. Для скорости полета требуются короткие крылья сокола,

а их у меня нет. И питаюсь я холодной рыбой, а не мышами. Прав был отец. Нужно оставить всю эту чушь. Нужно вернуться домой — в Стаю — и быть довольным тем, что я есть. Ибо я — всего лишь жалкая чайка, возможности мои ограничены, и я должен с этим смириться».

Голос умолк. Джонатан был согласен. Ночью место чайки — на берегу. И он дал себе клятву, что с этого самого мгновения он становится нормальной чайкой. Так будет лучше для всех.

Джонатан устало оттолкнулся от поверхности воды и полетел по направлению к земле, благодаря судьбу за то, что успел раньше узнать об экономном режиме полета на малых высотах.

— Ну нет, — подумал он, — с этим покончено раз и навсегда. И мне нет никакого дела до того, что я знаю. Чайка есть чайка, я — такой же, как все. И летать буду тоже как все.

И Джонатан, превозмогая боль, вскарабкался на стофутовую высоту. Усердно размахивая крыльями, он устремился к берегу.

Он почувствовал облегчение, приняв решение быть одним из Стаи. Ведь тем самым он разрывал свою связь с Силой, заставляющей его искать знание. Таким образом он избавлялся и от борьбы, и от поражения. Было так приятно просто прекратить думать и молча лететь во тьме к огням, мерцавшим вдали над пляжем.

— Темно! — встревоженно расколол тишину утробный голос. — Чайки во тьме не летают! Никогда!

Джонатан почему-то не обратил на голос никакого внимания. Ему было не до того.

— Как хорошо! — подумал он. — Луна, береговые огни, дорожки бликов на мерцающей поверхности воды... Тишина, покой... Хорошо!

— Вниз немедленно! Чайки никогда не летают во тьме! Для этого необходимы врожденные особые свойства! Глаза совы! Короткие соколиные крылья!

И там, в ночи, на высоте ста футов Джонатана вдруг осенило. И вся его боль, и все его окончательные решения — все разом испарилось, словно никогда и не существовало.

— Ну да — короткие крылья... Короткое соколиное крыло! Вот он — ответ! Надо же быть таким идиотом... Ведь нужно всего-навсего укоротить крыло! Сложить, оставив расправленным только самый кончик. И получатся короткие крылья!

Забыв обо всем, не думая ни о смерти, ни о поражении, Джонатан тут же поднялся на две тысячи футов над черным ночным морем, плотно прижал к телу широкие части крыльев, расправив в набегающем потоке лишь стреловидные заостренные концы, и нырнул в вертикальное пике.

Чудовищный рев ветра в голове... Семьдесят миль в час, девяносто, сто двадцать... И по-прежнему — с ускорением! Сто сорок миль в час, а напряжение неизмеримо меньше, чем было при расправленных крыльях на скорости всего в семьдесят. И, слегка изменив угол атаки кончиков крыльев, Джонатан с легкостью вышел из пике. Подобно серому пушечному ядру, он несся сквозь пространство лунного света над поверхностью океана.

Джонатан прищурился. Глаза его превратились в узкие щелки. Он был доволен. Сто сорок миль в час! И — полный контроль! А если подняться не на две, а на пять тысяч футов... Интересно, какую скорость...

Клятва, которую он дал себе за несколько минут до этого, была забыта, унесена прочь бешеным ветром. Джонатан нарушил обещание, однако вины за собой не ощущал. Подобного рода клятвы что-то значат для тех, кто приемлет обыденность. Тому же, кто в познании своем коснулся чего-либо исключительного, нет дела до таких обещаний.

Когда взошло солнце, Джонатан тренировался. С пяти тысяч футов рыболовецкие суда казались брошенными на воду щепками, а завтракающая Стая — едва заметным облачком кружащей пыльцы.

Джонатан ощущал, что живет; он слегка дрожал от радостного чувства удовлетворения и гордился тем, что покорил свой страх. Без долгих приготовлений он сложил предкрылья, расправил короткие острые концы крыльев и нырнул вниз, к поверхности моря. К тому моменту, когда была пройдена высота в четыре тысячи футов, он набрал максимальную скорость. Встречный поток превратился в плотную твердую стену звука, прорваться сквозь которую не представлялось никакой возможности. Это был предел, двигаться быстрее Джонатан не мог, он несся вертикально вниз со скоростью в двести четырнадцать миль в час. Он в напряжении сглотнул слюну, зная, что расправь он на такой высоте крылья — и его не станет, но лишь миллион мельчайших клочков разорванной взрывом чайки достигнет поверхности океана. Однако в скорости была Сила, и радость, и чистая красота.

Выходить из пике Джонатан начал с высоты в тысячу футов. Концы крыльев с гудением дрожали в бешеном набегающем потоке, судно и толпа чаек метались перед глазами и росли со скоростью метеора, и они находились прямо на его пути.

Остановиться Джонатан не мог, свернуть в сторону — тоже. Он просто не имел ни малейшего понятия о том, как это делается на такой скорости.

Любое же столкновение означало мгновенную смерть.

И он закрыл глаза.

И тогда, в то утро, сразу после восхода солнца, вышло так, что Чайка Джонатан Ливингстон ворвался в самую середину охотившейся за пищей Стаи. На скорости в двести двенадцать миль в час он со свистом пронесся сквозь Стаю — глаза закрыты — этакий снаряд из перьев и ветра. И только потому, что Чайка Удачи улыбнулась ему в этот раз, никто не погиб.

Когда выход из пике был закончен и клюв его снова оказался направлен в небо, Джонатан по-прежнему мчался вперед, и скорость его полета составляла шестьдесят миль в час. А когда она уменьшилась до двадцати и он смог наконец полностью расправить крылья, судно с высоты четырех тысяч футов опять казалось ему брошенной на воду щепкой.

Это был триумф. Он понимал это. Предел скорости! Двести четырнадцать миль в час! Величайшее мгновение в истории Стаи — истинный прорыв. А для Чайки Джонатана Ливингстона этот миг означал начало новой эпохи.

И он направился к тому месту, где обычно практиковался в полетах. А когда на высоте восьми тысяч футов он сложил крылья для вертикального пике, целью его было освоение скоростного поворота.

Он установил, что при смещении на долю дюйма одного-единственного пера на самом кончике крыла тело на огромной скорости описывает плавную криволинейную траекторию. Но прежде, чем Джонатан это понял, он обнаружил другое — смещение более чем одного пера на такой скорости заставляет тело вращаться вокруг продольной оси подобно винтовочной пуле... Так Джонатан стал первой на земле чайкой, постигшей основы искусства высшего пилотажа.

В тот день у него не нашлось свободного времени на общение с другими чайками. Он тренировался, пока не зашло солнце. Он открыл мертвую петлю, полубочку, бочку, горку, вертикальное колесо.

Когда Джонатан присоединился к Стае, отдыхавшей на пляже, была уже глубокая ночь. Он ужасно устал, кружилась голова, однако он был доволен и, прежде чем приземлиться, описал широкий круг над пляжем, а перед самым касанием земли молниеносно выполнил один полный оборот бочки. Когда он расскажет им обо всем, когда они узнают о Прорыве, они будут вне себя от радости, размышлял Джонатан. Насколько богаче теперь станет жизнь! Ведь если прежде вся она проходила в унылой суете: берег — судно — берег, — то сейчас в ней появится смысл!

У нас есть возможность выкарабкаться из неведения, нам надо осознать собственную исключительность и разумность. Мы способны обрести свободу. *И мы можем научиться летать!*

Впереди открывались годы радостного бытия, головокружительные возможности и перспективы звучали на все лады и переливались радужным сиянием.

Приземлившись, Джонатан обнаружил, что попал на общее собрание Стаи. Причем, судя по всему, мероприятие началось отнюдь не только что. Более того, Джонатана определенно ждали.

— Чайка Джонатан Ливингстон! — Старейшина произнес эти слова таким тоном, каким говорил только в особо торжественных случаях. — Ты вызываешься в Круг!

Вызов в Круг означал либо всеобщее порицание и величайший позор, либо величайшую честь и всеобщее признание.

— Понятно, — подумал Джонатан, — это по поводу того, что случилось утром во время завтрака. Они видели Прорыв! Однако почести мне ни к чему.

И в лидеры — тоже не хочу. Мне, пожалуй, только хотелось бы поделиться своими находками, показать всем необозримые возможности, открытые каждому из нас.

И он сделал шаг в Круг.

— Чайка Джонатан Ливингстон! — продолжал Председатель. — Изволь войти в Круг и подвергнуться порицанию, свидетелями которого надлежит стать всем твоим собратьям по Стае.

Это прозвучало подобно грому среди ясного неба. Джонатан вдруг почувствовал себя так, словно его огрели доской по голове. Колени подкосились, перья враз обвисли, в ушах возник невообразимый шум. Позор? В Круг — на порицание?! Но это невозможно! Ведь это Прорыв! Они чего-то не поняли! Тут определенно закралась какая-то ошибка! Ну да, они ошибаются, они явно не правы!

— ...ибо величайшего позора заслуживают проявленные тобой беспечность и безответственность, равно как и попрание достойных традиций добропорядочного Семейства Чаек...

Порицание на общем собрании. За этим неминуемо следует изгнание из сообщества чаек. Отлучение от Стаи и ссылка в Дальние Скалы, где уделом изгнанника становится полное одиночество.

— ...И ты — Чайка Джонатан Ливингстон — однажды поймешь, сколь неблагодарной вещью является безответственность. Нам не дано постигнуть смысл жизни. Очевидно же в ней лишь одно: в этот мир мы приходим для того, чтобы питаться и за счет этого как можно дольше в нем существовать...

Тому, кто вызван в Круг, запрещено вступать в дискуссию с общим собранием Стаи, но Джонатан сдержаться не мог.

— Безответственность?! — воскликнул он. — Да что вы, братья?! Какая же тут безответственность — понять, в чем смысл жизни, и открыть пути достижения высшей цели бытия? Скорее наоборот — посвятивший себя этому как раз и проявляет максимум ответственности. Ведь что мы знали до сих пор — тысячелетия свар из-за рыбьих голов... Теперь у нас появилась возможность понять первопричину — постичь, ради чего мы живем. Открытие, осознание, освобождение! Дайте же мне один-единственный шанс, позвольте показать вам то, что я нашел...

С таким же успехом Джонатан мог взывать к каменной стене.

— Какие мы тебе братья, отступник?! — был ответ, и, словно по команде, все церемонно обратились к нему хвостами, предварительно поплотнее зажав уши.

31

Остаток своих дней Чайка Джонатан Ливингстон провел в одиночестве, однако отнюдь не в Дальних Скалах, ибо он улетел гораздо дальше. И единственным, что несколько угнетало его, было не одиночество, но отказ остальных чаек поверить в славу полета, их ожидавшую. Они отказались открыть глаза и увидеть!

С каждым днем знание, которым обладал Джонатан, росло. Он обнаружил, что благодаря скоростному пике можно добывать редкую и очень вкусную рыбу, ходившую стаями на глубине десяти футов. Теперь он не был больше привязан к таким, казалось бы, жизненно необходимым вещам, как рыболовецкие суда и размокшие корки заплесневелого хлеба.

Он также научился спать на лету, не сбиваясь с курса. Это позволило ему использовать дующий с берега ночной бриз, от заката до восхода преодолевая расстояние в сотню миль.

Тот же принцип внутреннего контроля Джонатан применял и для полетов сквозь густой морской туман, постепенно поднимаясь над которым он достигал сияющего неба... в то самое время, когда все без исключения остальные чайки сидели на земле и уделом их были только дождь и промозглая мгла. А на высотных ветрах Джонатан залетал далеко вглубь материка, где обитали сухопутные насекомые — самое настоящее лакомство.

В одиночестве наслаждался он плодами того, что некогда намеревался подарить всей Стае. Он научился летать и не сожалел о той цене, которую ему пришлось заплатить.

Серая скука, и страх, и злоба — вот причины того, что жизнь столь коротка. Осознав это, Джонатан избавил свои мысли от скуки, страха и злобы, и жил очень долго, и был по-настоящему счастлив.

Они пришли — вечером — и нашли его. Он парил один в покое столь любимого им неба. Две чайки появились рядом с ним и летели крыло к крылу по обе стороны от него. Чистотой своей подобные свету звезды, они мягко сияли во тьме ночного неба, и добротой было исполнено их сияние. Но изумительнее всего было мастерство их полета — расстояние между кончиками их крыльев и кончиками крыльев Джонатана при любом движении неизменно оставалось равным одному дюйму.

33

Не говоря ни слова, Джонатан подверг их проверке — испытанию, которого не смогла бы выдержать ни одна чайка на Земле. Он спирально изогнул крылья, сбросив скорость до величины, всего на единственную милю в час превышающей порог срыва. Две сияющие птицы сделали то же самое, положение их по отношению к Джонатану не изменилось при этом ни на йоту. Искусством медленного полета они явно владели в совершенстве.

Джонатан сложил крылья, перевернулся и ринулся в пике, развив скорость в сто девяносто миль в час. Они спикировали вместе с ним, и форма их устремленных вниз тел была абсолютно безупречна.

И наконец, не сбавляя скорости, он вертикально зашел на широкую мертвую петлю. С улыбкой они проделали маневр вместе с ним.

Тогда он вернулся в режим горизонтального полета. Некоторое время помолчав, он произнес:

— Прекрасно. И кто же вы такие?

— Мы — из твоей Стаи, Джонатан. Мы — Твои братья, и мы пришли за Тобой. Пора подниматься выше. Пора возвращаться домой.

— Но у меня нет дома. И Стаи тоже нет. Ведь я — Изгнанник. И кроме того, сейчас мы парим на самом верхнем уровне Великого Ветра Гор. И я не думаю, что смогу заставить свое старое тело подняться выше чем на две-три сотни футов.

— Сможешь. Ибо Ты обрел знание. Одна школа закончена, пришла пора начинать следующую.

И осознание, в течение всей жизни бывшее для Чайки Джонатана далекой путеводной звездой, ярко вспыхнуло в тот же миг. Они были правы. Он может подняться гораздо выше, и время возвращаться домой действительно пришло.

Он в последний раз окинул взглядом земное небо и саму Землю — дивный серебристый мир, — на которой столь многому научился. А потом сказал:

— Я готов.

И они втроем — Чайка Джонатан Ливингстон и две сияющие, подобно звездам, птицы — устремились ввысь, чтобы раствориться в совершенстве небесной темноты.

Часть
вторая

ак вот они какие, Небеса, подумал он и не смог сдержать усмешки в свой адрес. Не слишком-то прилично для только что прибывшего новичка рассматривать Небо оценивающим взглядом.

Джонатан видел: по мере того, как они втроем компактным звеном поднимались все выше и выше над облаками, тело его начинало светиться, постепенно приобретая такую же лучистость, как и у тел сопровождающих его чаек. Конечно, внутри он оставался самим собой — все тем же молодым Джонатаном, который всегда жил за зрачками его искривишихся золотом глаз, однако форма внешнего тела изменилась.

Оно по-прежнему воспринималось как тело чайки, однако летные качества этого тела значительно превосходили те, которыми Джонатан обладал когда бы то ни было прежде, даже во времена, когда он находился в наилучшей форме.

— Интересно, — думал он, — коэффициент полезного действия тела в два раза выше, чем был в лучшие мои дни на Земле! При тех же затратах сил я могу лететь вдвое быстрее.

Перья его теперь сияли теплым светом, а крылья были гладкими, как полированное серебро. И Джонатан принялся последовательно изучать свойства этих новых совершенных крыльев, постепенно повышая интенсивность работы.

Разогнавшись до двухсот пятидесяти миль в час, Джонатан почувствовал, что близок предел скорости горизонтального полета. А на скорости двести семьдесят три мили он понял, что быстрее лететь уже не сможет. Это слегка разочаровывало.

Возможности нового тела, несмотря на все его совершенство, тоже были ограничены. Конечно, максимальная скорость горизонтального полета теперь существенно превышала прежний личный рекорд Джонатана, однако предел все же существовал — стена, пробиваться сквозь которую предстояло с огромными усилиями.

— Н-да, — подумал он, — а ведь на Небесах не должно быть никаких ограничений...

Но вот облака расступились, и провожатые Джонатана растворились в разреженном тонком воздухе, крикнув напоследок:

— Счастливой посадки Тебе, Джонатан!

Он летел над морем, впереди виднелась изрезанная бухтами полоска скалистого берега. Чайки — их было совсем немного — отрабатывали над береговыми утесами полет в восходящем потоке. Дальше к северу — почти у самого горизонта — виднелось еще несколько птиц.

— Новые горизонты, новые вопросы, — подумалось Джонатану. — Почему так мало птиц? Ведь на Небе должны быть стаи и стаи чаек! И откуда усталость — я как-то вдруг ужасно устал... На Небесах чайки вроде не должны уставать. И спать хотеть — тоже не должны.

Интересно, где он об этом слышал? События его земной жизни отшелушивались от сознания, рассыпаясь в прах. Конечно, Земля была местом, где он многое узнал, и знание оставалось при нем. Но подробности событий стерлись — они не имели никакого значения. Так, что-то смутно: кажется, чайки дрались из-за пищи, а он был Изгнанником...

Чайки, тренировавшиеся у берега, — их было что-то около десятка — приблизились к нему. Ни слова не было произнесено, однако Джонатан почувствовал: они приветствуют его, и он принят, и здесь — его дом. Подходил к концу день, ставший для Джонатана таким огромным и таким долгим, что даже восход этого дня стерся из его памяти.

И Джонатан повернул к пляжу, взмахнул крыльями, чтобы остановиться в дюйме от земли, и легко плюхнулся на песок. Другие чайки также приземлились — но без единого взмаха хотя бы одним перышком. С расправленными крыльями они ловили встречный ветер и плавно приподнимались в самом конце спуска, а затем каким-то образом незаметно изменяли кривизну крыла, останавливаясь точно в момент касания земли.

— Вот это контроль! — отметил про себя Джонатан. — Красиво!

Он бы тоже попробовал, но слишком устал. Поэтому заснул прямо там, где приземлился. И никто не нарушил тишины.

В последующие дни Джонатан обнаружил, что здесь, в новом месте, ему предстоит узнать об искусстве полета едва ли не больше, чем он узнал за всю свою прежнюю жизнь. Однако с одним существенным отличием. Здесь были чайки, мыслившие так же, как он. Для каждой из этих птиц самым важным в жизни было устремление к совершенству в том, что они любили больше всего. А больше всего они любили летать.

Это были замечательные птицы — все без исключения. И каждый день час за часом они проводили в полете, изучая и отрабатывая сверхсложные приемы высшего пилотажа.

Джонатан почти совсем не вспоминал о том мире, из которого вышел он сам и в котором обитала Стая — сообщество существ, упорно не желавших открыть глаза и увидеть радость полета и потому превративших свои крылья в ограниченный инструмент для поиска пропитания и борьбы за него друг с другом. Но иногда вдруг вспоминал.

Так он вспомнил о них однажды утром — они вдвоем с инструктором как раз отдыхали на пляже после отработки серии мгновенных переворотов со сложенными крыльями.

— Послушай, Салливэн, а где же все остальные? — молча поинтересовался Джонатан — он уже вполне освоился с местным искусством телепатического общения, что было гораздо проще туманных и путаных объяснений с помощью криков и кряков. — Почему нас так мало здесь? Ведь там, откуда я пришел, было...

— ...множество чаек — тысячи и тысячи, я знаю. — Салливэн покачал головой. — Я вижу только один ответ: ты — редкая птица, такие встречаются в лучшем случае одна на миллион. Подавляющее большинство из нас развиваются так медленно. Мы перелетаем из одного мира в другой, почти такой же, тут же забывая, откуда мы пришли, и не беспокоясь о том, куда идем. Мы просто живем текущим мгновением. А ты представляешь себе, сколько жизней каждому из нас понадобилось прожить, чтобы только лишь осознать: пропитание, и грызня, и власть в Стае — это еще далеко не все? Тысячи жизней, Джон, десятки тысяч. А после нужно было сообразить, что существует такая штука, как совершенство. На это ушла еще добрая сотня жизней. И еще сотня — на то, чтобы понять: цель жизни — поиск совершенства, а задача каждого из нас — максимально приблизить его проявление в самом себе, в собственном состоянии и образе действий. Закон на всех уровнях бытия — один и тот же: свой следующий мир мы выбираем посредством знания, обретенного здесь. И если здесь мы предпочли невежество и знание наше осталось прежним — следующий наш мир ничем не будет отличаться от нынешнего, все его ограничения сохранятся и таким же неподъемным будет свинцовый груз непонятного вызова.

Салливэн расправил крылья и повернулся лицом к ветру:

— Но ты, Джон, умудрился столько узнать за одну жизнь, что попал прямо сюда, сэкономив как минимум тысячу воплощений.

Мгновение спустя они снова были в воздухе. Тренировка продолжалась. Синхронная полубочка — штука сложная. На перевернутом участке траектории Джонатану приходилось, летя кверху лапами, соображать, как придать крылу обратную кривизну. Причем делать это нужно было в абсолютной гармонии с действиями инструктора.

— Давай-ка еще раз, — снова и снова повторял Салливэн.

Еще раз... И еще... И наконец:

— Вот теперь — хорошо!

И они перешли к отработке внешней петли.

Был вечер. Свободные от ночных полетов чайки собрались вместе на песке и стояли молча, предаваясь размышлениям. Собрав всю свою решимость, Джонатан направился к Старейшему. Поговаривали, что

тому вскоре предстояло отправиться выше, покинув этот мир.

— Чианг... — слегка нервничая, обратился к Старейшему Джонатан.

— Что, сынок? — глаза Старейшего лучились добротой.

Возраст не лишил Старейшего сил — наоборот, с годами он становился все более могучим. Он летал с непревзойденным искусством, и в Стае не было никого, кто мог бы потягаться с ним силой.

Остальные только начинали потихоньку подбираться к тому, в чем Чианг давно уже достиг вершин мастерства.

— Чианг, этот мир... он ведь вовсе не Небеса, да?

Светила луна. Было видно, что Старейший улыбается.

— Просто ты в очередной раз учишься, Чайка Джонатан, — ответил он.

— Хорошо, но что дальше? Получается, нет такого места — Небеса?

— Ты прав, Джонатан: такого места действительно нет. Ибо Небеса — не место и не время, но лишь наше собственное совершенство.

Немного помолчав, Старейший вдруг спросил:

— Ты очень быстро летаешь, правда?

49

— Я... ну, мне нравится скорость, — произнес Джонатан, смутившись, но немного гордясь тем, что Старейший отметил его искусство.

— Ну что ж, тогда ты достигнешь Неба, Джонатан, в тот миг, когда тебе покорится совершенная скорость. А совершенная скорость — это не тысяча миль в час. И не миллион. И даже не скорость света. Ибо любое число есть предел, а предел всегда ограничивает. Совершенство же не может иметь пределов. Так что совершенная скорость, сынок, — это когда ты просто оказываешься там, куда собираешься направиться.

И Чианг исчез — без предупреждения — и возник у кромки воды футах в пятнадцати от того места, где перед тем стоял. Оба эти события произошли одновременно, в мизерную долю мгновения. Затем, опять в одну и ту же миллисекунду, он одновременно снова исчез и появился рядом с Джонатаном, у самого его плеча.

— Это просто шутка, — сказал Старейший.

Джонатан был потрясен. Вопросы относительно Небес вмиг были позабыты.

— Как это делается? И на какое расстояние можно таким образом переместиться?

— Можно отправиться в любое место и оказаться в каком угодно времени, — ответил Старейший. — Все дело в твоем выборе: ты попадешь туда, куда намерен попасть. Путешествуя таким образом в пространстве и во времени, я побывал везде, *где* и *когда* хотел побывать.

Чианг посмотрел на море.

— Странно, как это получается, — продолжал он. — Чайки, пренебрегающие совершенством ради путешествий из одного места в другое, в итоге так никуда и не попадают, ибо двигаются слишком медленно. Тот же, кто во имя поиска совершенства отказывается от перемещений в пространстве, мгновенно попадает в любое место, куда только пожелает. Так что, Джонатан, запомни: Небеса не есть некое место в пространстве и во времени, ибо место и время не имеют равным счетом никакого значения. Небеса — это...

— Послушай, а ты можешь научить меня так летать?— Джонатан буквально дрожал от нетерпения, предвкушая возможность покорить еще один аспект неизвестного.

— Конечно, если ты хочешь научиться.

— Хочу. Когда начнем?

— Прямо сейчас, если ты не возражаешь.

— Я хочу научиться летать таким образом, — сказал Джонатан, и глаза его вспыхнули необычным светом. — Говори, что нужно делать.

Чианг заговорил — медленно, не сводя с Джонатана внимательного взгляда:

— Чтобы со скоростью мысли переместиться в любое выбранное тобою место, *тебе для начала необходимо осознать, что ты уже прилетел туда, куда стремишься.*

Весь фокус, по утверждению Чианга, заключался в том, что Джонатану следовало отказаться от представления о себе как о существе, попавшем в западню ограниченного тела с размахом крыльев в сорок два дюйма и рабочими характеристиками, которые могут быть замерены и просчитаны. Суть в том, чтобы осознать: его истинная природа, его сущность — совершенная, как ненаписанное число, — существует всегда и везде во времени и пространстве.

Джонатан упорно пытался... Настойчиво и яростно, изо дня в день, от восхода до полуночи. Однако, несмотря на все усилия, ни на волос не сдвинулся с того места, на котором стоял.

— Вера здесь ни при чем, — не уставал повторять Чианг, — забудь о ней. Даже в случае обычного умения летать, на одной вере вряд ли далеко улетишь...

Нужно точно знать, как это делается практически. Так что давай-ка попробуем еще раз...

Однажды Джонатан тренировался в сосредоточении, стоя с закрытыми глазами на берегу. И вдруг неожиданно все осознал — это было подобно вспышке, — все, что объяснял ему Чианг.

— Ну да, ведь я уже совершенен, я всегда был совершенен! И ничто не может загнать меня в рамки, ибо сам я по природе своей безграничен.

Волна радости захлестнула его.

— Молодец! — сказал Чианг, и в голосе его звучало торжество победы.

Джонатан открыл глаза. Они вдвоем со Старейшим стояли на совершенно незнакомом берегу. И рядом с ними не было никого. Деревья подступали к самой кромке воды, а над ними сияли два желтых солнца.

— Ну наконец-то до тебя дошло, — сказал Чианг, — однако неплохо было бы еще немного поработать над осознанностью контроля...

Джонатан был поражен:

— Где это мы?

На Старейшего смена обстановки, похоже, не произвела ровным счетом никакого впечатления. Он ответил как бы между прочим:

— По всей видимости, на какой-то планете, где вместо Солнца — двойная звезда.

Джонатан издал радостный клич. Это были первые слова, произнесенные им вслух после того, как он покинул Землю:

— ПОЛУЧИЛОСЬ!!!

— Естественно, получилось, Джон, — подтвердил Чианг. — И всегда получается, если знаешь, что делаешь. Теперь — по поводу контроля...

Когда они вернулись, было уже темно. Все стояли на берегу, и во взглядах их золотых глаз Джонатан читал почтительное восхищение. Они видели, как он мгновенно исчез с того места, где так долго стоял как вкопанный.

Они начали было поздравлять Джонатана, но он недолго принимал их поздравления.

— Я всего лишь новичок здесь, я только начинаю... Мне еще предстоит многому у вас научиться.

— Занятная шутка, Джон, — задумчиво произнес Салливэн, стоявший рядом, — ведь ты, похоже, совсем не боишься нового, а если и немного опасаешься, то гораздо меньше, чем любой из тех, кого я встречал за десять тысяч лет.

Все замолчали, а Джонатан смущенно потупился.

— А теперь, если хочешь, можем перейти к работе со временем, — сказал Чианг, — поскольку тебе необходимо научиться свободно перемещаться в прошлое и будущее. А когда и это будет достигнуто, ты будешь готов к самому труднодоступному — к тому, что несет в себе величайшую из всех сил, а также радость и наслаждение, равных которым не бывает. Ибо тогда ты сможешь начать восходящее движение — то самое, которым дается постижение сущности любви и доброты.

Прошел месяц, вернее, то, что воспринималось как месяц времени. Джонатан учился с невероятной быстротой. Он и раньше все схватывал буквально на лету, даже не имея никакого наставника, кроме обычного опыта. Теперь же, будучи избранным учеником самого Чианга, он впитывал новые понятия, словно был не птицей, а облаченным в перья стремительным снарядом с компьютерной начинкой.

Но настал день, и Чианг ушел. Он спокойно разговаривал со всеми, призывая их ни в коем случае не прекращать обучение и настойчиво практиковаться, все ближе и ближе подбираясь к постижению невидимого универсального принципа, лежащего в основе всей жизни, — принципа совершенства. По мере того как он говорил, перья его становились все ярче и ярче, и в конце концов испускаемое им сияние приобрело такую интенсивность, что никто не мог больше на него смотреть.

— Джонатан, — произнес Чианг, и это были его последние слова, — постарайся постичь, что такое Любовь.

Когда они снова смогли видеть, Чианга с ними уже не было.

Шли дни. Джонатан все чаще ловил себя на том, что думает о Земле — о той Земле, откуда пришел в самом начале. Если бы там, тогда ему была известна хотя бы десятая, нет, даже сотая доля того, что он узнал здесь, насколько более насыщенной и эффективной могла быть земная часть его жизни! Он стоял на песке и думал: интересно, есть ли сейчас там, на Земле, Чайка, которая старается вырваться за пределы врожденных ограничений, постичь значение полета, выходящее за грань представления о нем лишь как о способе добыть корку хлеба, выброшенную кем-то за борт вместе с помоями. А может быть, там есть даже кто-нибудь, кого изгнали за то, что он высказал в лицо Стае открытую им для себя истину. И чем глубже Джонатан постигал уроки доброты, чем яс-

нее видел природу любви, тем больше ему хотелось вернуться на Землю. Ибо, несмотря на прожитую в одиночестве жизнь, Чайка Джонатан был рожден для того, чтобы быть Учителем. Он видел то, что было для него истиной, и реализовать любовь он мог, лишь раскрывая свое знание истины перед кем-нибудь другим — перед тем, кто искал и кому нужен был только шанс, чтобы открыть истину для себя.

Салливэн, сделавшийся к тому времени мастером полета со скоростью мысли и помогавший другим освоить это искусство, пребывал в сомнениях. Он говорил Джонатану:

— Тебе ведь уже как-то довелось оказаться в Изгнании. Или, может быть, ты полагаешь, что среди изгнавших тебя тогда мог быть кто-нибудь, кто прислушается к твоим словам сейчас? Ты же знаешь пословицу: чем выше летает чайка — тем дальше она видит. Так оно и есть. Там, откуда ты пришел, все они буквально не отрываются от земли, они копошатся на ней, злословят и грызутся друг с другом. От Неба их отделяют тысячи миль. А ты намерен сделать так, чтобы они увидели Небо, не сходя с места! Джон, да ведь они дальше кончиков собственных крыльев взглянуть не способны! Оставался бы, ты нужен здесь. То и дело появляются Новички — они уже поднялись достаточно высоко и способны увидеть то, о чем ты говоришь.

Салливэн немного помолчал, а затем добавил:

— Представь, что было бы, если бы Чианг в свое время вернулся отсюда в свои старые миры. Где бы ты был сегодня?

Убедительный довод. Салливэн, безусловно, был прав. Чем выше летает чайка, тем дальше она видит, и от этого никуда не деться.

И Джонатан оставался и работал с Новичками. Все они были личностями очень яркими и схватывали все на лету. Но исчезнувшее было чувство опять возникало, и все начиналось снова: Джонатан не мог избавиться от мысли о том, что где-то там, на Земле, тоже есть две или хотя бы одна чайка, разум которой открыт знанию. Насколько больше знал бы он сам, если бы Чианг пришел к нему в дни Изгнания!

В конце концов Джонатан не выдержал:

— Салли, я чувствую, что должен вернуться. А управиться с Новичками тебе помогут твои собственные ученики — они уже вполне для этого созрели.

Салливэн вздохнул, однако возражать не стал. Он только сказал:

— Мне будет очень тебя не хватать, Джон.

— Салли, как не стыдно! — с упреком произнес Джонатан. — Не говори ерунды! Чем, скажи на милость, мы тут целыми днями занимаемся? Если бы наша дружба и связь между нами определялись положением в пространстве и во времени, то, преодолев пространственно-временные ограничения, мы бы мигом все разрушили! Однако после победы над пространством остается только *Здесь*. А после победы над временем — только *Сейчас*. И неужто ты полагаешь, что мы с тобой не встретимся еще раз-другой в беспредельности этого *Здесь и Сейчас*?

Чайке Салливэну было явно не по себе, но он нашел в себе силы рассмеяться.

— Чудак ты, однако, — мягко произнес он. — Но что верно, то верно: если кто-то и способен научить кого-нибудь на Земле видеть нечто, определенное расстоянием в тысячи миль, то этот кто-то, безусловно, Чайка Джонатан Ливингстон.

И опустив глаза, Салливэн принялся разглядывать песок:

— До свидания, Джон.

— До свидания, Салли. Мы непременно еще встретимся.

С этими словами Джонатан воспроизвел в мыслях образ огромных стай чаек на океанском берегу где-то в ином времени. И благодаря тренировке ему не требовалось прикладывать никаких усилий для того, чтобы знать без тени сомнения: он — не кости, плоть и перья, но сама идея свободы и полета, которая совершенна по сути своей и потому не может быть ограничена ничем.

Чайка Флетчер Линд был еще весьма молод, однако уже знал, что никогда ни одна Стая не поступала столь грубо и несправедливо, как поступила сегодня с ним его собственная Стая.

— И плевать, пусть болтают что хотят, — думал он, с помутневшим от ярости взором направляясь в сторону Дальних Скал. — Летать — это ведь не просто хлопать крыльями, таскаясь туда-сюда, как... как... москит какой-то! Подумаешь — бочку крутанул вокруг Старейшины! Я же просто так, шутки ради... И вот, пожалуйста, — Изгнанник! Дурачье слепое! Вконец отупели — ничего не понимают! Неужели они ни на секунду не задумываются о том, какие перспективы откроются перед ними, если они научатся летать по-настоящему?

Ну да ладно — мне все равно плевать. Пусть думают что хотят. Я им покажу еще!.. Они у меня увидят, что значит летать по-настоящему. Вне Закона? Хорошо, будем вне Закона, если им так нравится... Но они об этом пожалеют, ох как пожалеют!..

И тут он услышал голос, который звучал где-то внутри его собственной головы. Очень мягкий голос... Но все равно это было настолько неожиданно, что Флетчер опешил и вздрогнул в воздухе, словно наткнувшись на невидимое препятствие.

— Не нужно их бранить, Флетчер. Изгнав тебя, они навредили только самим себе. Когда-нибудь они это поймут. И они поймут то, что понимаешь сейчас ты. А тебе следует простить их и помочь им понять.

В дюйме от конца правого крыла Чайки Флетчера летела птица — ослепительно белая сияющая чайка, самая светлая чайка в мире. Без малейшего усилия птица скользила рядом, не шевеля ни единым пером, и скорость ее полета была при этом равна скорости, с которой летел Флетчер, а это был почти его предел.

— Да что же это такое происходит?! Я что, сошел с ума?! Или уже умер?! Кто это?!

Тем временем голос — тихий и спокойный — возник вновь среди сумятицы его мыслей. На этот раз требовательно прозвучал вопрос:

— Чайка Флетчер Линд, хочешь ли ты летать?
— ДА! Я ХОЧУ ЛЕТАТЬ!

— Чайка Флетчер Линд, достаточно ли сильно твое желание летать для того, чтобы простить Стаю и учиться, а затем вернуться однажды к ним и трудиться среди них, помогая им обрести знание?

Это был голос Мастера. И как бы ни был горд Флетчер и сколь бы уязвленным он себя ни ощущал, он знал — обмануть это ослепительное существо не было никакой возможности. И он смиренно ответил:

— Да.

— Ну что ж, Флетч, — в голосе сияющего существа звучала доброта, — тогда начнем с освоения искусства горизонтального полета...

Часть третья

Джонатан медленно кружил над Дальними Скалами, наблюдая. Этот парень — Чайка Флетчер Линд — оказался практически идеальным учеником. Сильный, легкий и быстрый, он обладал также самым важным качеством — пламенным стремлением научиться летать по-настоящему.

В это мгновение появился и сам Флетчер — серой молнией он пронесся мимо своего инструктора, выходя из пике на скорости в сто пятьдесят миль в час. Вот он рывком вошел в медленную шестнадцати-витковую вертикальную бочку, громко отсчитывая вслух точки переворотов.

— ...восемь... девять... десять... Джонатан-смотри-я-теряю-скорость... одиннадцать... я-хочу-добиться-четкой-фиксации-как-у-тебя... двенадцать... вот-до-сада-кажется-я-смогу-сделать-только... тринадцать... эти-последние-три-витка... без… четыр... а-а-а-а!!!

Каждая неудача приводила Флетчера в неописуемую ярость. Для него не могло быть ничего хуже, чем сорваться почти в самом верху и, опрокинувшись, кувырком полететь вниз, вращаясь вверх лапами в корявом штопоре.

Ему удалось выйти из этого позорного падения, только когда он был уже на сто футов ниже инструктора. Жадно хватая клювом воздух, он наконец выровнялся:

— Джонатан, ты напрасно тратишь на меня время! Я бездарен и туп! Стараюсь, стараюсь, но ничего не выходит!

Чайка Джонатан взглянул на него сверху вниз и кивнул:

— Ты прав — не получится... если будешь так жестко заходить на подъем. Флетчер, ты потерял сорок миль скорости еще в самом начале! Из пике следует выходить плавно. Ты должен *течь*! Необходимо совместить твердость и текучесть. Запомнил?

Он спикировал вниз, на уровень ученика:

— Давай-ка попробуем вместе — звеном. И обрати внимание на выход из пике — плавно и очень легко...

Прошло три месяца. У Джонатана появилось еще шесть учеников. Все шестеро были Изгнанниками, и всех очень интересовала странная новая идея — летать ради радости полета...

Правда, им было гораздо легче освоить сверхсложные технические приемы, чем понять, для чего это нужно.

По вечерам на песчаном берегу Джонатан говорил им:

— Каждый из нас воплощает идею Великой Чайки — ничем не ограниченную идею абсолютной свободы. Потому точность и совершенство полета — только первый шаг на пути к раскрытию и проявлению нашей истинной сущности. Необходимо избавиться от всего, что *ограничивает*. Вот зачем это все нужно — скоростные полеты, предельное снижение скорости, высший пилотаж...

...А его ученики мирно посапывали тем временем во сне, утомившись после дня полетов. Им нравилось тренироваться — их увлекала скорость и возможность с каждой последующей тренировкой узнать что-то новое, утоляя тем самым все возрастающую жажду знаний.

Но ни один из них, даже Чайка Флетчер Линд, пока что не пришел к осознанию реальности мысленного полета. Они еще не умели поверить в то, что полет мысли и полет ветра и крыльев — явления в равной степени материальные.

— Все ваше тело — от кончика одного крыла до кончика другого, — снова и снова повторял Джонатан, — есть собственно мысль, воплощенная в форме, доступной вашему зрению. Разорвав путы, сковывающие вашу мысль, вы разорвете и путы, сковывающие ваши тела...

Но сколько бы силы он ни вкладывал в эти слова, они звучали для них подобием волшебной сказки. Гораздо больше в этот момент они нуждались в сне и отдыхе...

Всего лишь месяц спустя Джонатан сказал, что пришла пора возвращаться к Стае.

— Но мы еще не готовы! — возразил Чайка Генри Кэлвин. — И потом, нас ведь никто туда не звал! Мы — Изгнанники! И не можем позволить себе явиться туда, куда нас не звали. Что, разве не так?

— Мы свободны — и потому вольны идти куда хотим и быть самими собой везде, где бы мы ни находились.

С этими словами Джонатан поднялся в воздух и повернул на восток — к угодьям, где обитала Стая.

Ропот замешательства прокатился среди учеников — каждый из них мучился вопросом: как поступить?

Закон Стаи гласил: *Изгнанники не возвращаются*. И за последние десять тысяч лет Закон этот не преступал никто.

Голос Закона запрещал: и думать не смейте о возвращении. Джонатан сказал: возвращайтесь, не задумываясь.

И Джонатан уже летел над водой и был в миле от них. Если они еще немного помедлят, он встретится с враждебной Стаей один.

— Нас изгнали. Мы не принадлежим к Стае. С какой стати мы должны обращать внимание на Закон Стаи? — произнес Флетчер, обращаясь скорее к самому себе, чем к остальным. — И к тому же, если на него нападут, от нас больше толку будет там.

И они появились в то утро, они ввосьмером пришли с запада стройным звеном в форме двойного ромба. Они летели четко и слаженно, практически касаясь друг друга кончиками крыльев.

Со скоростью сто тридцать миль в час они пронеслись над пляжем, где обычно проходили общие собрания Стаи. Джонатан — впереди, Флетчер — непринужденно и легко — справа от него, Генри

Кэлвин, стараясь не отставать и не выпадать из общего ритма, — слева.

Затем все звено, как одна птица, сделало медленный вираж вправо — участок горизонтального полета — переворот — горизонтальный участок, — слышно было только, как свистит рассекаемый ими ветер.

Крики и кряки повседневного быта Стаи смолкли, словно звено птиц над пляжем было гигантским ножом, вмиг отсекшим все привычные звуки. Восемь тысяч птичьих глаз, не мигая, напряженно следили за ними.

Одна за другой все восемь птиц взмыли вертикально вверх — мертвая петля, — а потом — прямо из мертвой петли — вышли в пике, закончив полет посадкой с мгновенной остановкой. Затем, словно это входило в обычную ежедневную программу, Чайка Джонатан как ни в чем не бывало приступил к разбору полетов.

— Во-первых, — слегка усмехаясь, говорил он, — все вы без исключения опоздали занять свое место в строю. Вам не хватает быстроты реакции, чтобы действовать синхронно...

Молнией одна и та же мысль промелькнула в голове каждой чайки в Стае:

— Изгнанники! И они вернулись! Но это... *этого не может быть*! Так не бывает!

Замешательство Стаи было настолько глубоким, что все опасения Флетчера относительно того, что их будут бить, мигом растаяли как дым. Стая оцепенела.

Тем не менее некоторые из молодых чаек в Стае позволили себе проявить интерес:

— Ну да, конечно, они — Изгнанники. О'кей. Но, парни, *где они научились так летать?*

Целый час потребовался для того, чтобы постановление Председателя обошло всю Стаю:

— Не сметь обращать на них внимание. Игнорировать. Всякий вступивший в беседу с Изгнанниками сам подлежит немедленному изгнанию. Наблюдение за Изгнанниками расценивается как нарушение Закона.

И начиная с этого момента Джонатан видел только обращенные в его сторону серые хвосты, что, впрочем, нимало его не смущало. Все последующие тренировки он проводил над Берегом Совета. И впервые он старался выжать из своих учеников все, на что те только были способны.

— Чайка Мартин! — кричал он на все небо. — Ты говорил, что постиг искусство медленного полета. Докажи! Себе докажи! Ты можешь знать все что угод-

но, но пока ты не доказал это на практике, ты не знаешь ничего! ЛЕТИ!

И тихий Крошка-Мартин Уильям удивил самого себя. Оказавшись в центре внимания, да еще к тому же и под нажимом инструктора, он неожиданно принялся демонстрировать чудеса искусства полета на сверхмалых скоростях. Используя легчайший ветерок, он умудрялся придавать неподвижным крыльям такую кривизну, что они практически вертикально поднимали его к самым облакам. После чего он, опять-таки без единого взмаха крыльями, снова медленно опускался на песок.

А Чайка Чарлз-Роланд оседлал Великий Ветер Гор и поднялся на двадцать четыре тысячи футов. Возвратился он весь посиневший от холода, но счастливый и с твердым намерением на следующий день взлететь еще выше.

Чайка Флетчер — он больше всех любил высший пилотаж — победил-таки наконец шестнадцативитковую восходящую бочку. Более того, он превзошел себя, выполнив над пляжем тройной переворот через крыло. Перья его сверкали белизной в лучах солнца, а с пляжа за ним украдкой наблюдала далеко не единственная пара глаз.

И все это время Джонатан был рядом с учениками. Он показывал, предлагал новые решения, а иногда и выполнял роль ведущего. Вместе с ними он был в небе в дождь и ветер — они летали просто так, ради того чтобы летать. Продрогшая же Стая беспомощно толкалась в это время на сыром унылом пляже.

По окончании полетов ученики отдыхали на песке. Со временем они научились прислушиваться к объяснениям Джонатана. Конечно, его идеи нередко выглядели в их глазах по меньшей мере странными и постичь их ученики не могли, но кое-что было им понятно и казалось вполне резонным.

Постепенно вокруг кольца учеников, окружавших Джонатана, образовалось еще одно кольцо, состоящее из любопытствующих. Они тайком приходили по ночам, чтобы долгими часами слушать объяснения Джонатана. Появлялись они в темноте, прячась друг от друга, и уходили затемно, чтобы не быть узнанными и никого не узнать.

Через месяц после Возвращения первая чайка откололась от Стаи, перейдя «демаркационную линию» и попросившись к Джонатану в ученики. Совершив этот поступок, Чайка Терренс Лоуэлл приобрел статус отверженного, и его тут же объявили Изгнанником. Так он стал восьмым учеником.

На следующий вечер из Стаи ушел Керк Мэйнард. Хромая, он брел по песку. Он всхлипывал, а левое крыло его беспомощно волочилось за ним. Он рухнул на землю к ногам Джонатана и голосом умирающего попросил:

— Помоги мне. Больше всего на свете я хочу летать.

— Летай, — сказал Джонатан. — Поднимайся со мной вместе и начнем обучение.

— Ты не понимаешь. Мое крыло... Я им не владею. Я не могу им пошевелить.

— Чайка Мэйнард, ты волен быть самим собой, ты свободен осознать свою истинную сущность и быть ею, здесь и сейчас, и ничто не в силах тебе воспрепятствовать. Таков *Закон Великой Чайки*, и это единственный объективно существующий Закон.

— Ты хочешь сказать, что я могу летать?

— ТЫ СВОБОДЕН — вот что я говорю.

Легко, просто и быстро Чайка Керк Мэйнард расправил крылья и без малейшего усилия взмыл в темное ночное небо. Спящую Стаю разбудил его торжествующий крик. Паря на высоте ста футов, Керк во весь голос вопил:

— Я *лечу*! Слушайте! Я МОГУ ЛЕТАТЬ!!!

Когда над горизонтом показался краешек восходящего солнца, Джонатана и его учеников уже окружало около тысячи птиц, изумленно взиравших на Мэйнарда. Им было все равно, видят их или нет. Они прислушивались к словам Джонатана, усердно пытаясь понять хоть что-нибудь.

А говорил он о вещах простых и само собой разумеющихся: каждая птица имеет право летать, свобода есть сущность каждого, и потому все, что ее ограничивает, должно быть отметено прочь — будь то традиция, суеверие или любое другое ограничение в какой угодно форме.

— Прочь? — раздался голос из толпы. — Даже если это — Закон Стаи?

— Единственный объективно существующий Закон — тот, что дает освобождение, — ответил Джонатан. — Других законов нет.

— Как мы можем надеяться научиться летать так, как летаешь ты? — прозвучал другой голос. — Ты — особо одаренная птица Божественного происхождения, ты выше всех прочих птиц...

— Посмотрите на Флетчера! Лоуэлла! Чарлза-Роланда! А Джуди Ли? Они тоже особо одаренные птицы Божественного происхождения? Не более, чем вы все. И не более, чем я. Просто они, в отличие от вас, осознали свою истинную природу и стали жить сообразно своему знанию.

Все его ученики, за исключением Флетчера, неловко поежились: они вовсе не были уверены, что все обстоит именно так...

Изо дня в день толпа росла. Приходили задавать вопросы, поклоняться, проклинать.

— В Стае говорят, что ты — либо сошедший на землю Сын Великой Чайки, либо опередил свое время на тысячу лет, — сообщил однажды Джонатану Флетчер после утренней отработки сверхскоростных полетов.

Джонатан вздохнул. Вот она — цена непонимания. Либо Бог, либо — дьявол.

— А сам-то ты как думаешь, Флетчер? Опередили мы свое время?

Молчание. Потом Флетчер неуверенно заговорил:

— Ну, в общем-то, всегда можно было научиться так летать. Нужно было только захотеть. Время тут ни при чем. Хотя, возможно, мы опережаем моду... Общепринятый стереотип о полете чаек.

— Уже легче, — сказал Джонатан, перевернувшись через крыло, и некоторое время летел вниз спиной. — Все же лучше, чем опережать время.

Это произошло всего неделю спустя. Флетчер показывал группе новых учеников элементы практики скоростного полета. Он как раз вышел из пике с высоты семи тысяч футов и несся — почти невидимый на бешеной скорости — над самым пляжем, как вдруг птенец, впервые оторвавшийся от земли, возник у него на пути с криком: «Мама! Мама!» За долю секунды до столкновения Чайка Флетчер Линд успел резко свернуть влево — туда, где стеной возвышалась скала из твердого гранита.

Ему показалось, что скала — это исполинская твердая дверь в другой мир. Ужас, и шок, и удушливая тьма...

А потом покой незнакомого неба, воспоминания, забытье, опять воспоминания и снова — забытье. Было страшновато, а после пришли печаль и сожаление. Очень-очень глубокое сожаление.

И, как в тот день, когда он впервые встретился с чайкой по имени Джонатан Ливингстон, в уме его зазвучал голос:

— Дело в том, Флетч, что мы пытаемся преодолеть границы своих возможностей постепенно, по порядку, не торопясь. Прохождение сквозь камень значится в нашей программе несколько позже.

— Джонатан!

— Известный также как Сын Великой Чайки, — невозмутимо произнес его наставник.

— А ты что здесь делаешь? А как же скала? Я что, не того... ну, не это... не умер, что ли?

— Ну, Флетч, брось... Подумай: если ты со мной сейчас разговариваешь, стало быть, ты определенно жив. Так? Просто тебе удалось достаточно резко сдвинуть уровень сознания. И теперь у тебя есть выбор. Хочешь — можешь остаться на этом уровне, — кстати, он гораздо выше того, на котором ты находился прежде, — а можешь вернуться обратно и продолжить работу в Стае. Их Старейшины, между прочим, так и ждали, чтобы с кем-нибудь из нас приключилось какое-либо происшествие, предпочтительно с летальным исходом. Так что, оставшись здесь, ты их весьма обяжешь. Они и мечтать не смели о столь роскошном подарке, и главное — так своевременно...

— Понятно. Разумеется, я возвращаюсь. Только-только новую группу набрал...

— Очень хорошо, Флетчер. Помнишь, что мы говорили о теле? Тело есть мысль, облеченная в доступную восприятию форму?..

Флетчер шевельнул головой, расправил крылья и открыл глаза. Он обнаружил, что находится у подножия скалы, а вокруг него толпится вся Стая.

— Ожил! Он умер, и снова — *живой!!!*

— Коснулся его крылом! Вернул ему жизнь! Сын Великой Чайки!

— Да нет, он сам говорит, что не Сын! Он — дьявол! ДЬЯВОЛ! Он пришел извести всю Стаю!

Все четыре тысячи птиц, составлявших толпу, были в страхе. Случившееся напугало их, и потому крик «ДЬЯВОЛ», ураганом пронесшийся над толпой, упал на благодатную почву. Сверкая глазами и зловеще навострив клювы, толпа сжимала кольцо, готовая разорвать их в клочья.

— Как полагаешь, Флетчер, не лучше ли нам сейчас отсюда убраться? — поинтересовался Джонатан.

— Я был бы, пожалуй, не против находиться где-нибудь подальше от этого места...

И мгновенно они оказались в полумиле от подножия скалы, а разинутые клювы обезумевших птиц, сомкнувшись, ухватили только воздух.

— Почему, — недоумевал Джонатан, — почему самое трудное дело — убедить свободного в том, что он свободен и что он вполне способен сам себе это доказать, стоит лишь потратить немного времени на тренировку? Почему так?

Флетчер никак не мог прийти в себя от столь неожиданного поворота событий:

— Что ты сделал? Как мы здесь оказались?

— Но ты же сам сказал, что не прочь оттуда убраться... Или нет?

— Говорил. Но как это ты...

— Очень просто, Флетчер. Так же, как и все остальное: практика.

К утру все и думать забыли о вчерашнем массовом помутнении разума. Но только не Флетчер.

— Джонатан, помнишь, ты говорил как-то — давно уже — насчет любви к Стае, достаточной для того, чтобы возвращаться и учить?

— Помню, конечно.

— Так вот, я не могу понять, как ты умудряешься любить эту тупоумную ораву, готовую в любой момент взбеситься и прикончить тебя. Как, например, вчера...

— Ох, Флетч, тебе совсем не нужно любить *это!* Ненависть и злоба — вовсе не то, что следует любить. Научись видеть в них истинную Чайку, воспринимая то лучшее, что в них есть, и помогая им самим это лучшее рассмотреть. Вот что я имел в виду, когда говорил о любви. Знаешь, как радостно, если это удается! Я, кстати, помню одного яростного парня —

кажется, его звали Чайка Флетч Линд, — так вот он, когда его изгнали, готов был драться насмерть со всей Стаей сразу. И уже направился было к Дальним Скалам, чтобы там в одиночестве устроить себе настоящее пекло — такой, знаешь ли, индивидуальный ад до конца дней. Но вместо этого он сейчас строит Небеса, да еще и всю Стаю ведет в том же направлении...

Флетчер повернулся к нему, и в глазах его промелькнул испуг:

— Я?! *Я веду?!* Джон, что ты хочешь этим сказать? Учитель здесь ТЫ. И ты не можешь уйти!

— Не могу? А ты не думаешь, что где-то могут быть другие стаи, другие Флетчеры и что им наставник может быть нужнее, чем тебе? Ведь ты уже нашел свой путь к свету...

— *Я?!* Джон, я — простая чайка, а ты...

— ...единственный и неповторимый Сын Великой Чайки, не иначе? — вздохнул Джонатан. — Я больше не нужен тебе. Просто продолжай искать себя и находить. Каждый день поближе узнавать свою истинную природу — настоящего Чайку Флетчера. Он — твой учитель. Нужно только понять его и тренироваться, чтобы им быть.

А через мгновение тело Джонатана замерцало, перья его засияли, и он стал таять в воздухе.

— И не давай им распускать обо мне дурацкие слухи. Или делать из меня бога, хорошо, Флетч? Я — чайка. Ну, разве что люблю летать...

— *ДЖОНАТАН!*

— Бедняга Флетч! Не верь глазам своим. Ибо глазам видны лишь ограничивающие нашу свободу оковы. Чтобы рассмотреть главное, нужно пользоваться пониманием. Ты все знаешь, необходимо только понять это. И тогда сразу станет ясно, как летать...

Мерцание прекратилось. Джонатан растаял в воздухе.

Прошло некоторое время, прежде чем Чайка Флетчер смог заставить себя подняться в воздух, где его ожидала новая группа жаждавших получить первый урок учеников.

— Для начала, — мрачно сказал он, — вам следует понять, что чайка есть ничем не ограниченная идея свободы, воплощение образа Великой Чайки, и все ваше тело от кончика одного крыла до кончика другого — это только мысль.

Молодые чайки глядели недоумевающе. Ну, парень, думали они, не очень-то эта инструкция поможет нам выполнить мертвую петлю.

Флетчер вздохнул и заговорил снова, окинув их критическим взглядом:

— Хм... Э-э-э... Ладно, начнем с освоения искусства горизонтального полета.

И стоило ему это произнести, как он уже понял, что происхождение его друга было ничуть не более божественным, чем его собственное.

— Нет ограничений, Джонатан? — подумал он. — Тогда недалек тот день, когда я соткусь из воздуха на твоем берегу и кое-что расскажу тебе о том, как нужно летать!

Он старался выглядеть строгим перед учениками, но вдруг увидел их всех такими, каковы они были в действительности: он рассмотрел их истинную сущность. Это продолжалось недолго — всего лишь какое-то мгновение, но ему понравилось то, что он увидел, — так понравилось, что он почувствовал, как любит их всех.

— Нет пределов, Джонатан? — и он улыбнулся.

Начинался его собственный путь знания.

Часть
четвертая

течение нескольких лет после того, как Джонатан исчез с пляжей Стаи, здесь оказалось самое странное сообщество птиц, когда-либо обитавшее на Земле. Многие по-настоящему прониклись его учением, так что теперь юная чайка, летящая спиной вниз или отрабатывающая мертвую петлю, стала зрелищем столь же обыденным, как и дряхлая чайка, которая отказалась открыть глаза и узреть красоту полета и в надежде разжиться куском размокшего хлеба продолжала нудно летать по прямой, высматривая рыбачьи лодки.

Чайка Флетчер Линд и другие воспитанники Джонатана неустанно совершали дальние миссионерские путешествия и вскоре распространили его учение о полете и о свободе среди всех стай на побережье.

В те дни происходило нечто удивительное. Ученики Флетчера, а также ученики его учеников летали столь безупречно и радостно, как не летал никто прежде. Тут и там можно было видеть птиц, которые выполняли фигуры высшего пилотажа лучше, чем Флетчер, а порой даже лучше самого Джонатана. Кривая обучения наиболее увлеченных чаек круто взмывала вверх вопреки любым стандартным графикам. То и дело появлялись ученики, настолько уверенно преодолевающие любые ограничения, что им становилось тесно на этой Земле — и они, подобно Джонатану, просто исчезали.

Настал золотой век… на какое-то время.

Толпы чаек теснились вокруг Флетчера, желая прикоснуться к Тому, Кто прикасался к Чайке Джонатану — птице, которую теперь стали обожествлять.

Напрасно Флетчер твердил, что Джонатан был такой же чайкой, как все, просто он много учился — и то же самое могут делать все остальные.

Соплеменники ходили за Флетчером по пятам, желая услышать в точности те слова, что говорил Джонатан, увидеть точное повторение его жестов, узнать о нем каждую мелочь…

Чем больше они допытывались о пустяках, тем больше это коробило Флетчера. Если раньше всех интересовала практическая сторона учения… тренировки, свободный, быстрый и величественный полет в бескрайнем небе… то теперь чайки стали отлынивать от трудной работы, зато с безумной жаждой в глазах слушали легенды о Джонатане — так члены какого-нибудь фан-клуба ловят каждое слово о своем идоле.

— О Птица Флетчер, — спрашивали они, — сказал ли Джонатан Великолепный: «Мы *воистину* — мысли Великой Чайки…» — либо же он говорил: «Мы *фактически* — мысли Великой Чайки…»?

— Называйте меня Флетчер. Просто Чайка Флетчер, — отвечал он, опасаясь, как бы птицы не навесили на него титула. — И не все ли равно, какое слово он использовал? Верно и то, и другое; *мы — мысли Великой Чайки…*

Но он понимал, что такой вариант им не по душе. Чайкам казалось, что наставник просто уклоняется от ответа.

— Птица Флетчер, когда Божественная Птица Джонатан шел на взлет, делал ли он один шаг навстречу ветру… или два?

Прежде чем он успевал откорректировать первый вопрос, кто-нибудь выстреливал второй.

— Птица Флетчер, какие глаза были у Святой Птицы Джонатана — серые или золотистые? — это спросила чайка с серыми глазами — ей было до боли важно получить однозначный ответ.

— Не знаю! Да забудь ты о цвете его глаз! Пусть у него были... ну хоть пурпурные глаза! Какая разница? Важно, что он пришел рассказать нам о возможности *полета* — для полета же нужно только проснуться и отбросить досужую болтовню о цвете глаз! А сейчас смотри — я покажу вам, как выполнять штопорную бочку.

Но большинству чаек лень было отрабатывать такую сложную фигуру, и они полетели домой с мыслью: «У Великого были Пурпурные Глаза... не такие, как у меня, и не такие, как у любой другой чайки из когда-либо живших».

С годами изменились и сами занятия. Прежде это были вольные поэмы полета, перемежавшиеся тихими, спокойными беседами о Джонатане до и после урока. Теперь же все выродилось в бесконечные истовые пляжные проповеди о Божественном, а летной практикой уже почти никто не занимался.

Флетчер и другие ученики Джонатана были вначале озадачены, затем попытались исправить ситу-

ацию. Они сердились на перемены в поведении со-
племенников и старались жестко стоять на своем,
но ничего изменить уже не могли. Их чтили — хуже
того, преклонялись перед ними, — но больше уже
не слушали и ничему не учились. Чаек, занимаю-
щихся летной практикой, становилось все меньше
и меньше.

Один за другим *уходили* Изначальные Ученики,
оставляя после себя холодные мертвые тела. Стая
эти тела подбирала и устраивала пышные слезливые
похороны, погребая усопших под огромными галеч-
ными курганами, — и прежде, чем добавить на кучу
свой камешек, каждая чайка с убийственной серьез-
ностью произносила траурную речь. Эти курганы
стали святилищами. Считалось, что всякая чайка,
желающая обрести Единство, должна обязательно
положить туда камень и сказать что-то скорбное.

Никто не знал, что такое Единство, но ведь и так
понятно, что это очень серьезная и глубокая штука — и любая чайка, задающая вопросы, тем самым
выставляет себя полной дурой. Всем известно, что
такое Единство, и твои шансы обрести его тем выше,
чем более красивый камешек ты возложишь на моги-
лу Птицы Мартина.

Флетчер *ушел* последним. Это произошло во время долгого одиночного полета — самого безупречно-

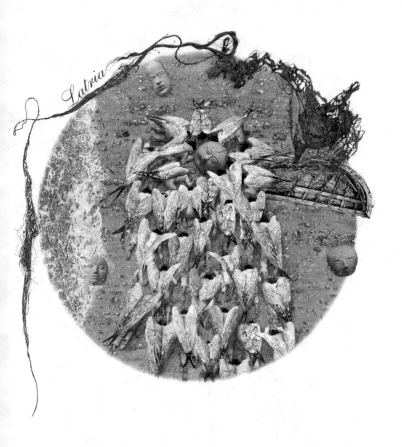

го и прекрасного во всей его жизни. Тело Флетчера исчезло во время вертикальной медленной бочки — фигуры, которую он отрабатывал еще с дней своего знакомства с Чайкой Джонатаном... Причем в момент своего исчезновения он никуда не бросал никаких камешков и не медитировал на афоризмы о Единстве. Просто растворился в совершенстве собственного полета.

Когда Флетчер не вернулся на пляж в течение следующей недели — просто пропал без вести, — Стаей ненадолго овладели растерянность и испуг. Но затем птицы собрались вместе и определились в отношении того, что произошло.

Было объявлено, что Птицу Флетчера видели в окружении Первых Семи Учеников. Все они стояли на скале, которая отныне будет именоваться Утесом Единства. Затем облака над ними расступились и явилась Великая Птица, Чайка Джонатан Ливингстон собственной персоной. Облаченный в царственные перья и златые раковины, с венцом из драгоценной гальки на челе — одежды эти символизируют небо, и море, и ветер, и землю, — он призвал Флетчера на Берег Единства, и тот волшебным образом вознесся в ореоле священных лучей, после чего облака вновь сомкнулись под величественный хор потусторонних чаячьих голосов.

Так что курган из гальки на Утесе Единства, посвященный светлейшей памяти Птицы Флетчера, стал самой большой кучей камней на всех берегах нашей планеты. Подобные же курганы возведены повсюду — но то лишь ритуальные подражания.

Каждый вторник после обеда вся Стая собиралась вокруг кучи, чтобы послушать предания о чудесах, совершенных Птицей Джонатаном Ливингстоном и его Одаренными Божественными Учениками. Никто больше не занимался полетами сверх прожиточного минимума — что же касается этих сугубо утилитарных полетов, то они обросли новыми странными обычаями.

Например, самые почтенные птицы стали летать с веточками в клювах — символом их статуса. Чем больше и тяжелее ветвь, тем больший вес имеет чайка в Стае. Чем крупнее ветвь, тем более продвинутым считают летуна. Лишь немногие члены сообщества заметили, что, таская с собой тяжелые и неудобные ветви, эти набожные чайки лишь делают себя неуклюжими в полете.

Символом Джонатана сделался округлый камень. Со временем ту же роль стали выполнять любые старые камни. Самый неудачный символ для обозначения птицы, которая пришла в мир, чтобы учить других *радости полета*, — но, по-видимому, никто этого не замечал. Во всяком случае, никто из авторитетов Стаи.

По вторникам любые полеты прекращались и бесчисленные толпы собирались на берегу, чтобы послушать декламацию в исполнении Официально Одобренного Ученика. За считаные годы этот речитатив спрессовался в гранитную догму: «О-Джонатак-Птак-Велика-Чайка-Единак-помилуй-нас-ничтожных-как-песчаные-блохи…» И в том же духе часами — каждый вторник.

В среде Одобренных признаком высочайшего совершенства почиталось умение выпаливать текст без остановки, так что отдельных слов было уже не различить. Некоторые дерзкие чайки шептались между собой, что весь этот шум не имеет ни малейшего смысла изначально, хотя порой кому-то и удается вычленить одно-два слова из общего звукового потока.

Вдоль всего побережья стали появляться выклеванные из песчаника статуи Джонатана с большими грустными глазами из пурпурных ракушек. Их устанавливали возле всех курганов — и похоронных, и ритуальных, — чтобы устраивать возле них церемонии поклонения — церемонии, еще более громоздкие, чем символизирующие их камни.

Менее чем за две сотни лет почти все компоненты учения самого Джонатана были изъяты из повседневной практики путем простого провозглашения, что они священны и непостижимы для обычных чаек, ничтожных-как-песчаные-блохи. Со временем ритуалы и церемонии, нагромоздившиеся вокруг имени Чайки Джонатана, превратились в предмет нездоровой одержимости.

Любая мыслящая чайка старалась прокладывать свои маршруты в воздухе таким образом, чтобы даже близко не подлетать к курганам, возведенным из церемоний и предрассудков тех птиц, которые предпочитали искать оправдания своим неудачам, вместо того чтобы неустанно трудиться на пути к истинному величию.

Мыслящие чайки — как это ни парадоксально — мгновенно закрывали свой ум, едва заслышав определенные слова: «Полет», «Курган», «Великая Птица», «Джонатан». В беседе на любые другие темы они проявляли не меньшую остроту ума и интеллектуальную честность, чем сам Джонатан, но при звуке его имени — или других слов, замусоленных Одобренными Учениками, — их ум наглухо схлопывался, безжалостно лязгнув, как дверь западни.

Будучи от природы любознательными, они экспериментировали с полетом, хотя никогда не использовали этого слова.

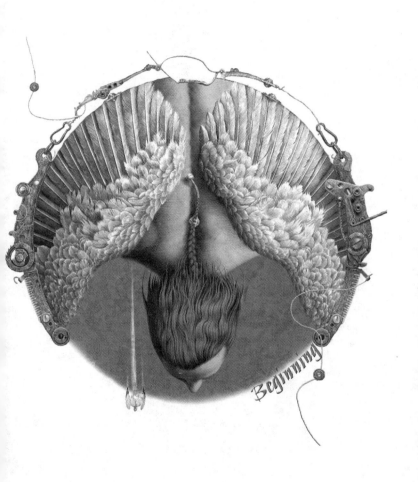

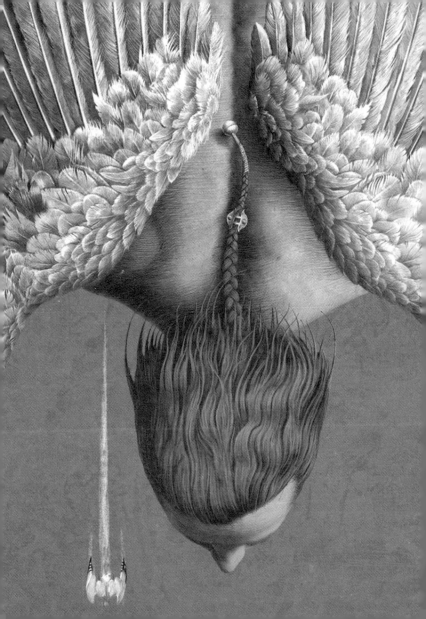

«Это никакой не полет, — уверяли они себя, — это всего лишь способ познания истины».

Таким образом, отвергая «Учеников», они сами становились подлинными учениками. Отвергая само имя Чайки Джонатана, они на практике воплощали идею, которую он принес Стае.

Это была тихая революция — без криков, без транспарантов. Но некоторые индивидуумы — к примеру, еще даже не доросший до зрелого пера Чайка Энтони — начали задавать вопросы.

— Вот, смотри-ка, — сказал Энтони некоему Одобренному Ученику, — те птицы, которые приходят послушать тебя по вторникам, делают это по трем причинам, не правда ли? Потому что считают, будто чему-то при этом учатся; потому что думают, будто, положив очередной камешек на курган, сами сделаются святыми; или же потому, что этого ожидают от них окружающие. Верно?

— Неужели тебе больше ничему не нужно научиться, птенец?

— Научиться-то мне нужно… вот только я не вижу чему. Никакие миллионы камешков не сделают меня святым, если я этого не достоин. И мне нет дела до того, что думают обо мне другие чайки.

— И каков же твой ответ, птенец? — спросил Одобренный, опешивший от такой ереси. — Как бы ты сам назвал чудо жизни? Великая-Птица-Джонатан-да-святится-Имя-Его сказал, что полет…

— Жизнь — не чудо, Одобренный. Жизнь — тоска. А твоя Великая Птица Джонатан — всего лишь древний миф, придуманный неизвестно кем. Просто сказочка, в которую верят слабаки, потому что им недостает мужества взглянуть на мир как он есть. Ты сам подумай! Чайка, летящая со скоростью двести миль в час! Я не раз пытался разогнаться, но быстрее пятидесяти никак не получается — да и то лишь во время пикирования, когда я уже почти теряю контроль над ситуацией. Существуют законы полета, которых не обойти. А если ты не веришь, тогда пойди и попробуй сам! Неужели ты искренне уверовал, что этот ваш несравненный Чайка Джонатан *летал на скорости двести миль в час?*

— Даже быстрее, — сказал Одобренный с неколебимой слепой верой, — и учил этому других.

— Да-да, так говорится в красивой сказочке. Но я стану слушать все эти ваши речи, Одобренный, лишь тогда, когда вы сумеете продемонстрировать, что и сами можете летать так же быстро.

Вот в чем ключ! Чайка Энтони понял это в тот самый миг, когда произнес свою последнюю реплику. Он ничего толком не знает — знает лишь то, что с радостью и благодарностью посвятит свою жизнь любой птице, которая на практике продемонстрирует все то, о чем говорит, и даст всего несколько ответов. Но эти ответы должны быть применимы на практике, они должны привносить радость и совершенство в повседневную жизнь.

А до тех пор, пока он не найдет такую птицу, жизнь будет казаться ему серой, унылой, алогичной и бессмысленной. И в каждой чайке он увидит лишь движущийся в небытие случайный сгусток из крови и перьев.

Чайка Энтони пошел своей собственной дорогой, отвергнув церемонии и ритуалы, которыми, словно коростой, обросло имя Чайки Джонатана... Так теперь стало поступать все больше молодых птиц. Да, им было тяжко осознавать тщету жизни — но эти чайки по меньшей мере были честны перед собой и достаточно мужественны, чтобы открыть глаза и увидеть, что жизнь бессмысленна.

И вот однажды в послеполуденный час Энтони неспешно летел над морем, уныло размышляя о том, что жизнь не имеет цели. А поскольку все бесцельное бессмысленно по определению, единственным уместным в такой ситуации действием будет нырнуть в океан и погибнуть. Лучше вообще не существовать, чем существовать без смысла и радости — как водоросль.

Это разумно. В этом есть безупречная логика — а Чайка Энтони всю свою жизнь ориентировался на честность и логику. Все равно придется умереть — рано или поздно, — и он не видел никакой причины продлевать скучный и болезненный опыт существования.

И вот на высоте в 2000 футов он завалился вперед и устремился прямо к воде со скоростью почти пятьдесят миль в час. Было на удивление радостно — от того, что он наконец принял решение. Нашел ответ, имеющий хоть какой-то смысл.

Приблизительно на середине этого смертельного пике, когда море словно бы завалилось на него и стало непостижимо огромным, со стороны правого крыла его со свистом обогнала другая чайка… и пронеслась мимо, словно Энтони просто стоял себе на бережку.

Птица мчалась вниз, словно белая молния, словно ворвавшийся из космоса метеор с размытыми от скорости очертаниями. Потрясенный, Энтони изменил конфигурацию крыльев, чтобы прекратить пикирование, и с беспомощным изумлением уставился вслед птице.

Белое пятно, стремительно уменьшаясь в размерах, мчалось к морю.

Затем по крутой дуге птица изменила направление полета — вот уже клюв ее направлен в небо — и закрутила бочку, долгую медленную вертикальную бочку, после чего замкнула в небе головокружительную петлю.

Наблюдая за происходящим, Энтони свалился с крыла... он совершенно забыл, где находится... восстановил равновесие... и снова свалился с крыла.

— Готов поклясться, — сказал он вслух, — готов поклясться, что это была *чайка!*

Энтони немедленно повернул в сторону птицы, которая, казалось, его и не заметила.

— ЭЙ! — закричал он что было сил. – *Э-ГЕ-ГЕЙ! ПОДОЖДИ!*

Чайка тотчас же легла на одно крыло и, сделав разворот на огромной скорости, молнией метнулась по прямой в сторону Энтони, затем заложила крутой вертикальный вираж и резко остановилась в воздухе, подобно тому, как горнолыжник останавливается внизу трассы.

— Эй! — У Энтони перехватило дыхание. — Что... *что же это ты творишь?* — дурацкий вопрос, но ничего другого в голову не пришло.

— Прости, если я тебя напугал, — сказал незнакомец. Его голос был чист и приветлив, как ветер. —

Я не выпускал тебя из поля зрения. Просто заигрался... я бы тебя не задел.

— Нет-нет! Не в том дело, — Энтони впервые в жизни чувствовал, что он бодрствует и *живет*. Его переполняло вдохновение. — *Что это было?*

— А, это! Полет, я полагаю. Для удовольствия. Пике, резкое торможение, переход в медленную бочку и петля с переворотом в конце. Просто все вместе. Пока научишься делать все как следует, приходится изрядно попотеть, но результат впечатляет, верно?

— Это... это... *прекрасно* — вот что я тебе скажу! Но я никогда не видел тебя в стае... Кто же ты, наконец?

— Можешь называть меня Джон.

— КОНЕЦ —

Несколько слов напоследок

Можно предположить, что с последней главой связана какая-нибудь удивительная история, но это не так.

Как в голове рождаются сюжеты? Писатели, которые по-настоящему любят свое дело, говорят, что здесь имеет место подлинное таинство — своего рода магия. Этому нет объяснения.

Воображение — древняя душа. Ты слышишь его шепот в пространстве духа — тихое повествование о некоем дивном мире и об обитающих там существах, об их радостях и печалях, горестях и победах. Услышанный рассказ бывает прекрасен и завершен — вот только пока еще не облечен в слова.

Писатель так и этак ворочает образы, чтобы вписать их в увиденное действие, припоминает диалоги, стараясь воспроизвести их от начала и до конца. Нужно просто расставить буквы, пробелы, запятые — и вот повествование уже готово стремительным лыжником промчаться по искристым склонам книжной индустрии.

Книги пишут не эксперты и грамотеи — истории рождаются от прикосновения тайны к нашему безмолвному воображению. Нас годами терзают вопросы, а потом вдруг из неизвестности приходит ураган ответов — лавина стрел, сорвавшихся с незримых луков.

Так оно было и у меня. Когда я дописал четвертую часть, наваждение окончилось — история о Чайке Джонатане подошла к концу.

Я снова и снова перечитывал эту главу. Мне казалось, что все это неправда! Неужели чайки, перенявшие идеи Джонатана, смогут затем загубить дух полета безжизненными ритуалами?

Однако текст утверждал, что такое возможно. А я не верил. Я подумал, что трех глав вполне достаточно — четвертая не нужна. Опустевшее небо, затхлые слова, почти насмерть удушающие радость...

Нет, не следует это публиковать.

Но почему же я не сжег тогда эту главу?

Не знаю. Я просто отложил ее в сторону. Полагаю, четвертая часть книги все еще верила в себя, вопреки моему неверию. Она твердо знала то, что отказывался допустить я: создатели и распорядители ритуалов будут медленно, но упорно стараться задушить нашу свободу жить по-своему.

Шло время.

Минуло полвека.

Старая рукопись забылась.

И вот недавно Сабрина раскопала этот текст — пожелтевший и истрепавшийся от времени, он лежал под грудой каких-то деловых бумаг.

— Помнишь это?

— Что? — спросил я. — Нет, не помню…

Я прочел пару абзацев.

— Ах да, припоминаю. Это…

— А ты дочитай, — с улыбкой сказала Сабрина, не позволяя мне отложить в сторону старую рукопись, которая так тронула ее сердце.

Отпечатанные на машинке буквы поблекли. В стилистике текста оживал я прежний — забытый голос меня тогдашнего. Это писал не я — это писал совсем другой парень из другого времени.

Рукопись закончилась, пробудив во мне его опасения и его надежды.

— А ведь я знал, что делаю! — сказал он. — В вашем XXI веке повсюду царит засилье авторитетов и ритуалов, и сейчас они рьяно душат свободу. Неужели ты сам не видишь? Они стараются сделать ваш мир безопасным, но не свободным.

Я-молодой заново проживал свою личную историю.

— Мое время уже прошло. Но тебе еще жить.

Я снова и снова возвращался к мыслям об этом голосе — о последней главе. А может быть, мы и вправду чайки, наблюдающие закат свободы в этом мире?

И вот теперь четвертая часть снова заняла свое законное место в книге, высказывая надежду на то, что, возможно, заката свободы все же не предвидится. Когда были написаны эти страницы, никто не знал, какое будущее нас ждет. Теперь мы знаем.

Ричард Бах,
весна 2013 г.

СОДЕРЖАНИЕ

ОБ АВТОРЕ

РИЧАРД БАХ — автор более двадцати книг. Бывший летчик ВВС США, бывший исполнитель фигур высшего пилотажа в бродячем авиашоу, авиамеханик. Ныне всерьез увлекается гидроавиацией. Живет на северо-западе США, близ Сиэтла.

Его веб-сайт:

www.richardbach.com.

Новая книга Ричарда Баха

ИЛЛЮЗИИ II

В 2012 году весь мир облетела история об ужасной авиакатастрофе, в которую попал всемирно известный писатель Ричард Бах на своем любимом гидросамолете Пафф.

Несмотря на то что врачи давали ему мало шансов на то чтобы выжить, в возрасте 78 лет он смог не только полностью вернуться к нормальной жизни за короткое время, но и восстановил свой разбитый самолет, возобновил свою летную лицензию и **продолжает летать**.

В своей новой книге он описывает историю своего внутреннего путешествия и чудесного исцеления.

Другие книги Ричарда Баха

Иллюзии
Повесть о Мессии, который Мессией быть не хотел, не случайно попала к вам в руки — Дональд никогда не появляется просто так. Познакомьтесь с ним поближе.

Единственная
Это полет Лесли и Ричарда через времена и пространства. В одном из них они не встретились; в другом — они единое целое; в третьем — Лесли гибнет и Ричард ищет смерти…

Карманный справочник Мессии
Мысленно задайте волнующий вас вопрос, закройте глаза и раскройте книгу наугад — работает безотказно.

Мост через вечность
Это рассказ об одном приключении, которое является самым важным в любом возрасте.

Бегство от безопасности
Для чего нам нужна встреча с самим собой? Одно ли у нас будущее? Что такое счастье и как его достичь?..

Чужой на земле
Одинокому страннику в небесах до звезд рукой подать. Но стоит Ричарду Баху, летящему в одиноком самолете над Европой, протянуть руку к вечности, как его ждет поединок со страхом и опасностью, таящимися в сумраке неизвестности.

Биплан

Это история перелета, который стал для пилота путешествием-поиском, ведущим за границы повседневной обыденности.

Ничто не случайно

Тысяча случайностей и тысяча друзей приходят к нам, чтобы показать, как преодолевать препятствия.
...И покуда мы верим в свою мечту — ничто не случайно.

Гипноз для Марии

Самые интересные секреты — те, ключ к которым у нас под носом. Самые потрясающие моменты жизни — когда мы внезапно осознаем то, что знали всегда...

Дар крыльев

Каждый из этих рассказов коснется вашего сердца. Может быть, вам тоже немедленно захочется в небо, ведь все мы рождены, чтобы летать. Но только многие из нас забыли об этом...

Нежные игры Жизни и Смерти

Любовь, приключения, вдохновение... Ричард Бах встретил свою новую любовь, которую зовут Пафф, завоевал ее доверие и пролетел вместе с ней через всю страну.

За пределами разума

Эта повесть — редкая и особо драгоценная... За простой фабулой, при видимой бесконечности изложения, чувствуется мудрость человека, рассказавшего эту историю.

Литературно-художественное издание

Ричард Бах
Чайка Джонатан Ливингстон

Художник *Владислав Ерко*
Перевод *А. Сидерский (часть 1-3),*
Е. Мирошниченко (часть 4)
Редактор *И. Старых*
Корректоры *Т. Селезнева, Е. Яковенко*
Оригинал-макет *Г. Булавко*
Обложка *В. Миколайчук*

ООО Книжное издательство «София»
115191, г. Москва, Гамсоновский пер., д. 2, стр. 1

Для дополнительной информации:
Издательство «София»
04073, Украина, Киев-73, ул. Фрунзе, 160

Подписано в печать 17.01.2017 г.
Формат 70x108/32.
Печать офсетная. Усл. печ. л. 5,6.
Тираж 10000 экз. Зак. № А-221.

Отделы оптовой реализации
издательства «София»
в Киеве: +38(044) 492-05-10, 492-05-15
в Москве: +7(499) 643-43-03
в Санкт-Петербурге: +7(812) 676-07-68

www.sophia.ru

Мы в соцсетях
facebook.com/SophiaBooks
vk.com/sophia_publishing
instagram: sophia_publisher

Отпечатано в полном соответствии с качеством
предоставленного электронного оригинал-макета
в типографии филиала АО «ТАТМЕДИА»
«ПИК «Идел-Пресс».
420066, г. Казань, ул. Декабристов, 2.
E-mail: idelpress@mail.ru